SO-BMF-151

# MON ENFANCE GAULOISE

Par Serge Hochain
chez Archimède – *l'école des loisirs*

«Il y a très, très longtemps»
«Un jour chez les australopithèques»

En complément sur la même époque
chez Archimède – *l'école des loisirs*
«Vercingétorix et César»
par Jean-Marie Ruffieux

et à *l'école des loisirs*
(collection Classiques abrégés)
«La Guerre des Gaules»
par Jules César

# Serge Hochain

# MON ENFANCE GAULOISE

Pages d'informations historiques par Philippe Brochard

ARCHIMÈDE

*l'école des loisirs*

11, rue de Sèvres, Paris 6e

JE M'APPELLE Diarmid. À l'époque où commence mon récit, j'étais un jeune garçon. Nous vivions au village de Gallicobriga, mon frère cadet Abcan et moi, élevés par Midna, notre mère, et par Myrdhinn, notre grand-père. Notre père était déjà mort, emporté par un hiver cruel. Je ne l'ai pas connu.

Cette histoire est d'abord celle de Brano-géne: elle est nourrie de ses pensées et de ses paroles. Mais elle est aussi une partie de la chronique de mon peuple, et c'est elle qui a décidé de ma vocation de voyageur et de conteur.

OUT DÉBUTE à Magnorota, la ville natale de Branogéne, assiégée par les légions romaines. Le combat fait rage. Les énormes tours de guerre s'approchent des remparts. Les catapultes projettent des blocs de pierre qui fracassent la charpente des maisons.

C'est la fin d'un siège aussi long que meur-

trier, débouchant sur la «paix romaine». Ces décombres sont la dernière image que Branogéne emportera avec lui.

Les survivants sont faits prisonniers et, après jugement sommaire, formés en colonne pour être emmenés comme esclaves.

Le gouverneur romain Gracchus Dompillius ne tarde pas à remarquer Branogéne pour sa robuste constitution.

On l'envoie travailler dans une grande carrière à ciel ouvert. C'est là que s'extraient et se taillent les pierres destinées au pavage des voies de l'Empire, qui ne cesse de s'étendre.

Le régisseur qui commande aux esclaves est un maître implacable. Les plus faibles succombent vite aux fatigues de la tâche, qui est harassante.

Branogéne passe, dans cette carrière, les années les plus dures qu'il vivra jamais.

IL M'A DÉCRIT le terrible travail, qui lui faisait endurer les pluies de l'automne, la morsure du froid et les chaleurs étouffantes de l'été. Il m'a dit comment ce régime l'avait aguerri et comment, peu à peu, son corps était devenu aussi dur que les pierres qu'il charriait.

Mais l'espoir revint un jour en la personne d'un colosse noir du nom d'Abaka. Dans son pays, cet homme avait été l'intendant d'un prince ambassadeur. Le soir, il évoquait pour Branogène les coutumes de contrées lointaines, les bêtes fabuleuses de l'Éthiopie, les fastes de la cour d'Égypte et l'habileté des marchands phéniciens.

ABAKA connaissait le langage des songes. Branogéne lui raconta un rêve qu'il faisait souvent et dans lequel il entendait une femme l'appeler au cœur d'une forêt. «Un jour, tu rencontreras cette femme, déclara Abaka. Écoute sa voix, elle est le chant de ta liberté.»

L'occasion de fuir se présenta un matin.

Observant le départ d'un manipule, les deux compagnons de servitude comprirent qu'une bonne partie de la garnison partait en opérations. La surveillance allait se relâcher. C'était le moment de s'évader.

À la tombée du jour, Branogéne et Abaka se glissèrent hors de la vue des gardiens.

Ils coururent pendant des heures sous la pâle lueur d'une lune à son premier quartier.

Au petit matin, une patrouille lancée à leur poursuite faillit les surprendre, mais heureusement le galop des chevaux fit s'envoler une grue qui alerta les deux fugitifs.

Ils plongèrent dans l'eau glacée et attendirent, la gorge nouée, à l'abri des roseaux, le départ de l'escouade.

Pour brouiller leur piste, ils décidèrent de continuer chacun de son côté. Ils se firent leurs adieux. «L'esprit de la rivière nous a protégés, dit Abaka, je vais le suivre jusqu'à la mer. Et toi, Branogéne, où iras-tu?»

«Ailleurs, très loin d'ici !» répondit Branogéne sans hésiter. Les yeux d'Abaka brillaient. Il déclara : «Tu sais, il y a trois sortes d'hommes sur Terre. Ceux qui ont la peau noire comme la mienne. Ceux qui ont la peau blanche comme la tienne, Gaulois. Et il y a les centurions romains, qui sont les pires. Que les dieux te protègent !

– Tu as raison, répondit Branogéne, la louve romaine ressemble assez à ces hyènes d'Afrique dont tu m'as tant parlé.»

Il fut étonné par le rire d'Abaka. Ainsi ce visage d'ébène connaissait la joie ! Le destin séparait ces deux hommes, mais jamais ils ne s'oublieraient.

RANOGÉNE PARTIT en direction du soleil levant. Habitué à la survie dans la carrière, il savait économiser ses forces et son sommeil. Le plus souvent, il courait. Il ne marchait que la nuit, durant laquelle il ne s'accordait qu'un bref repos. Sa méfiance lui faisait éviter les villages où pourtant il aurait pu trou-

ver à boire et à manger. Il avait entendu dire que les Romains avaient des espions partout.

Le troisième jour, s'étant arrêté pour souffler derrière une haie bordant un chemin de halage, Branogéne entendit le chant des bateliers qui tiraient avec des cordes leur bateau chargé de tonneaux. Il songea avec amertume qu'il avait

oublié le goût de la cervoise. Pourtant, ce chant joyeux lui mettait du baume au cœur.

Courageusement, il se remit en route, coupant à travers champs et ne rendant que de loin leur salut aux laboureurs.

Puis il aperçut à l'horizon une forêt.

Exténué et affamé, il marcha droit vers elle. La

forêt était un lieu où il retrouverait sa force.

«La forêt immense, peuplée d'arbres bien-veillants, m'accueillit.» Telles sont les propres paroles que prononça Branogéne me racontant comment il avait renoué avec ces ombrages fami-liers, pleins du hululement nocturne de la chouette et des trilles du rossignol à l'aube,

C'est là que le sort allait unir nos destinées.
Branogéne se reposait près du murmure d'une
source quand, soudain, une voix fraîche l'inter-
pella: «Hé, toi! Tu sembles perdu comme un
jeune marcassin, pourtant je te vois comme un
sanglier solitaire...»

Le rire de Midna le tira de sa stupeur, mais il

ne sut que répondre à cette jeune femme qui sur-
gissait face à lui. Il se contenta de saluer notre
arrivée, à mon frère Abcan et à moi, d'un sourire
plein de bienveillance.

Mère suivait son idée: «Le saumon est heu-
reux dans l'eau de sa rivière, il se moque bien de
savoir s'il remonte ou s'il descend le courant.»

Branogéne répondit: «L'eau est toujours de l'eau. Alors que les hommes ont plusieurs sortes de vie.»

Mon frère et moi nous étonnions de cet inconnu hirsute avec lequel notre mère plaisantait, elle d'ordinaire si farouche. C'est plus tard, bien plus tard, que nous devinâmes ce qui avait

pu faire la qualité particulière de leur rencontre.

Pour l'heure, nous mangeâmes un lièvre, assis en cercle autour du feu, et les récits de Branogéne nous passionnèrent. J'observais ses doigts qui semblaient ignorer la brûlure des châtaignes qu'il tirait de la braise.

Enfin, notre mère se remit debout et cueillit

quelques plantes; après quoi, ensemble, nous regagnâmes l'endroit où attendaient nos chevaux.

Répondant aux interrogations de Branogéne, Midna épargna à nos oreilles d'enfants toute plainte au sujet de son veuvage, préférant vanter la gentillesse de nos voisins villageois. Nous

nous arrêtâmes dans un endroit très giboyeux, mais l'esclavage avait émoussé l'instinct de chasse de notre nouvel ami: il manquait des proies faciles. Je remarquai les sourires complices qu'il échangeait avec notre mère.

Elle lui promit de lui offrir bientôt un torque guilloché et, sur le chemin du retour, ils faisaient

déjà des projets d'avenir. Abcan posait des questions indiscrètes et l'embarras des réponses provoquait des fous rires.

Organisant leur vie, Midna et Branogéne décidèrent qu'ils conjugueraient leurs talents: lui, forgeron, créerait des armes et des outils, qu'elle ornerait de ciselures et de guillochis.

Abcan chevauchait avec notre mère, tandis que je partageais l'autre monture avec Branogéne. Pour une de mes premières chasses dans la forêt, je pouvais me vanter d'une belle prise: je ramenais un père! Quand nous arrivâmes en vue de Gallicobriga, les derniers feux du couchant baignaient notre village de lueurs orangées.

LES LUNES PASSÈRENT. Branogéne veillait à notre éducation et nous l'aidions à la forge. Les villageois appréciaient son travail: notre peuple respecte les artisans. À Gallicobriga, l'annonce de son mariage avec Midna réjouit tout le monde. Branogéne avait la gentillesse de ceux qui ont souffert sans en rester brisés. Il fut,

pour nous, un père aimable et juste. Il nous disait les contes qu'il tenait de Milruch, son grand-père, et je me souviens du suivant: «Un jour, au marché, Gwydion, le bon génie, pris à partie par trois méchants sorciers, se transforme en jument blanche et part au triple galop. Mais il est poursuivi par les trois sorciers, qui ont pris

l'apparence d'étalons noirs… Arrivé à une rivière, Gwydion se métamorphose en anguille. Les trois étalons deviennent aussitôt poissons-chats, hérissés de piquants. Gwydion sort de l'eau sous l'aspect d'une colombe: ses trois ennemis se changent immédiatement en fau-

d'une belle jeune fille et lui parle à l'oreille: sur-le-champ, Gwydion devient sa bague en or. Les trois faucons prennent l'apparence de musiciens et jouent pour charmer la jeune beauté; mais celle-ci jette sa bague dans un tas de grain, et voilà les musiciens qui se muent en trois coqs noirs picorant le grain pour y retrouver le bijou

C'est alors que Gwydion, changé en renard, croque les trois mauvais génies…»

Mon grand-père, Myrdhinn, écoutait et riait dans sa barbe sous nos yeux étonnés.

«Je salue ton éloquence, forgeron. Tu as le don de la parole ailée, fille de la noble pensée. Viens ce soir avec Diarmid et Abcan, je fais une

veillée.» Myrdhinn était notre druide, c'est pour lui que notre mère allait cueillir des plantes dans la forêt.

LA VEILLÉE commença. Certains buvaient et mangeaient, d'autres faisaient de la musique. Myrdhinn parla en druide: «Au cœur de l'épaisse forêt, ou enracinés dans la plaine de

même que nous sommes des leurs, les arbres sont des nôtres. Les connais-tu, ô Branogéne qui viens de loin ?»

À ma surprise, Branogène répondit sur le même ton: «Je connais le sapin de Teutatès, j'aime qu'il s'embrase et pétille dans la flambée. Son feuillage est toujours vert. J'aime le hêtre de

Succelos, arbre beau et juste. Il est le manche de mes outils. Je vénère l'orme de Gaéa, à l'ombre épaisse et calme. Il est la roue de mon char et la poutre maîtresse de ma maison.»

Midna lui fit écho: «Je chéris le bouleau de Belen, dont la fibre a la blancheur des vierges. J'adore le pommier de Bélisama, aux fruits

comme des dons d'amour. Quand il fleurit, il chante la saison claire aux abeilles sauvages.»

Tabarnne, notre prince de Gallicobriga, parla à son tour: «Nous vénérons le grand chêne de Taranne, protecteur de notre forêt. C'est son ombre qui inspire l'esprit. Il nous donne la santé et la force du sanglier.»

Une coupe d'hydromel passait de mains en mains. On me permit d'y tremper les lèvres.

Le barde Clavaros prit sa harpe et sa voix s'éleva dans la nuit: «Ce que le flot t'apporte, le reflux te le prend. Chéris les biens que tu possèdes en ton cœur, ils sont le trésor de la vie. Ô toi qui m'écoutes près du chaudron d'abon-

dance, sache que tu es comme le nouveau-né vagissant sous la bonne étoile…»

Je croisai son regard étrange et me sentis comme emporté. Abcan dormait dans les bras de notre mère. L'assemblée subissait le charme de cet instant merveilleux.

« Tu es une larme d'or du soleil, l'œil du jour, créateur de toute beauté. Tu es une larme d'argent de la lune, rapportée du pays des songes. Le vent siffle dans tes plumes, toi le corbeau Samildanac, dans l'infini des nues…»

La tête pleine de rêves, chacun gagna sa couche. Le village s'endormit sous la clarté lunaire.

LE TEMPS passait et la harpe du barde appelle le renouveau des saisons. Le village préparait les fêtes de Lugnasad. Tout le monde s'affairait. Les musiciens répétaient, les acrobates s'essayaient à de nouveaux tours et les lutteurs, le torse enduit de graisse, les reins bandés, perfectionnaient leurs prises. Les tonneliers perçaient les barriques pour emplir de cervoise ou de vin les outres et les cruches disposées sur les tables avec les cornes à gorge creuse. Les conteurs faisaient les cent pas, se remémorant les proverbes qui instruisent, les satires qui amusent, et les légendes qui font rêver et rendent le travail des moissons plus facile.

Marchands et artisans garnissaient leurs étals de verreries, de vases rouges, de paniers d'osier ou de rotin, de draps de lin, de toiles de chanvre. Sur une table, on trouvait les bijoux de Midna, voisinant avec les outils de Branogéne. Sur d'autres, le lait caillé et le beurre baratté, les jambons, la cochonnaille, les farines de blé ou de seigle, les pains de toute forme... Je m'arrête là: les mets gaulois sont trop nombreux. Durant sept jours et sept nuits, les villageois en liesse allaient vivre de festins et d'ivresse... La fête battait son plein, à la fin du septième jour, quand arriva un cavalier. Il apportait un message que nous envoyait le prince d'une province amie

LA DERNIÈRE NUIT de Lugnasad commençait, la plus excitante. Dans une folie de déguisements, les villageois, affublés de masques grotesques ou de têtes d'animaux, oubliaient les soucis quotidiens et les vieilles querelles pour se faire mutuellement toutes sortes de farces. Les enfants se faufilaient entre les danseurs, dont le

pas martelé faisait trembler la plaine. La lueur des feux et des torches jetait sur tout cela un éclairage fantastique.

Cependant, notre prince Tabarnne, dégrisé par les propos du messager, décida de réunir le conseil à l'écart du tapage de la fête.

Ce qui se dit cette nuit-là me fut rapporté par

Branogéne: je n'étais pas d'âge à l'entendre par mes propres oreilles. Étaient présents au conseil: un des cavaliers défenseurs de Gallicobriga, à savoir Nemrod; Clavaros, le barde; Moranne, le vatte*; et Myrdhinn, le druide – tous réunis pour leur sage parole et leur juste pensée. Il y avait aussi Branogéne, le forgeron; Ambix, le tonne-lier; Samain, le drapier; Aoh et Gabanition, tous deux paysans. Le prince Tabarnne désirait l'avis de chacun quant à la conduite à tenir.

La réunion se tint dans une clairière abritée par des bosquets touffus. Myrdhinn le druide demanda d'une voix forte: «Par la vérité et à la face du monde, y a-t-il la paix entre nous?

– Il y a la paix entre nous, répondit le conseil.
– Alors que chacun parle», dit le druide.

La grosse voix de Nemrod se fit entendre: «Nous honorons les génies et les dieux, nous pratiquons la bravoure, mais la terre n'appartient pas à Rome. Celui qui craint la mort n'est qu'un esclave. Par Teutatès qui protège le pays de nos pères, mon épée réfléchira le soleil de la guerre.» Samain le drapier, approuvé par les deux paysans, dit: «Pourquoi tant de colère? Aux portes du village, les Romains, grâce à leur monnaie et à leur sens de l'organisation, nous permettront peut-être de nous enrichir en commerçant avec les autres peuples de l'Empire.»

Le messager murmura: «L'oiseau de mort, au-dessus du champ de bataille, survole d'une même aile le puissant et le faible, le riche et le pauvre.»

Branogéne parla avec calme : «J'ai vu les centurions et les machines de guerre détruire ma ville de Magnoróta. J'ai vu les dignitaires romains: leurs bouches propagent le venin de la trahison, et ils vont jusqu'à comploter contre leur propre empereur. Les alliances qu'ils proposent ne peuvent que nous asservir.»

Myrdhinn le druide fut, selon la coutume, le dernier à parler: «Après Lugnasad, les récoltes rempliront nos greniers. Alors les percepteurs

romains prendront leur part pour nourrir leurs légions conquérantes. L'imperator, voleur de liberté, nous imposera ses jeux, ses héros et ses dieux jaloux. Le messager le dit: toutes les provinces amies sont passées sous la coupe des Romains.»

Ayant écouté, le prince Tabarnne décida qu'il

fallait éviter la guerre, destructrice de vies et nuisible au commerce et au travail de la terre. En conséquence, il annonça qu'il allait tenter de conclure un pacte avec l'Empire romain.

Trois jours plus tard, escorté par deux cavaliers, il pénétrait sur son char d'apparat dans le camp du légat romain Atticus Vindex. Celui-ci le

fit recevoir par un fonctionnaire des colonies qui repoussa dédaigneusement l'offre d'alliance et ne cessa pas, tandis que Tabarnne parlait, d'étudier une de ses tablettes. Puis ce fonctionnaire présenta le protocole auquel étaient soumises les provinces annexées, et le prince Tabarnne, qui ne savait pas lire, accepta le rouleau.

Désormais, c'est ce fonctionnaire chauve qui présiderait donc aux destinées de Gallicobriga.

Le prince Tabarnne sentit que c'était la fin d'une époque. L'ultime vision qu'il emporta du camp romain, en se retirant, fut celle d'un groupe de soldats qui travaillaient à l'achèvement des fortifications.

Midna craignait de perdre Branogéne, encore recherché par les milices de l'Empire. Myrdhinn ne voulait pas entendre parler de Jupiter ni des autres divinités romaines. Ma famille décida donc de partir pour l'île d'Alba, au-delà des mers. Durant nos préparatifs secrets, ma tristesse d'avoir à quitter mes amis et mon village

résista mal à la soif d'aventures qui a toujours été la mienne. Je répondais évasivement aux questions d'Abcan, qui commençait à parler.

Après notre départ clandestin, quelques soldats suivirent nos traces, mais elles se perdaient sur un rivage désert d'Armorique. Malgré le mal de mer, la traversée fut merveilleuse.

Myrdhinn connaissait déjà des habitants du village de Magmell, sur les hautes terres d'Alba. Leur accent et leurs coutumes m'étonnèrent.

Nos nouvelles amies s'appelaient Fionna, Sylvia, Tara, Rose-Marta, et leurs frères: Ardaan, Glei, Angus, Tourran. Nous connûmes Ogma, un maître d'armes pour l'enseignement duquel

Abcan se prit de passion. Plus importantes pour moi furent les études avec Sen, le druide de Magmell. Lui et Myrdhinn m'enseignèrent l'écriture oghamique et les finesses du latin. Ma nature pacifique fut également comblée par le peu qu'ils savaient des philosophes grecs.

Sen flattait mon ardeur à l'étude, tandis

qu'Abcan suivait les leçons d'Ogma. Pour le reste, il se préparait à devenir forgeron. Branogéne l'initiait aux secrets du feu et à l'alliage des métaux.

Nous grandîmes parmi les enfants de Magmell. Jeune homme, j'éprouvai de l'amour pour Malgwen, belle jeune fille rousse. Mais ses parents refusèrent de la marier à un Gaulois.

Les voyageurs nous apportaient de mauvaises nouvelles: les Éduéens, les Cimbres, les Armoricains, les Salluviens, les Bituriges, les Pictones, les Lémovices, les Arvernes, les Allobroges, affaiblis par des luttes fratricides, devenaient tous peu à peu gallo-romains...

Ce que je garde en mon cœur, ce sont les promenades avec Abcan, Midna, Branogéne, Myrdhinn et son inséparable Sen. Par temps clair, dans la lande, au bord des hautes falaises, notre imagination voyait se dessiner, au loin, la côte de notre cher pays.

Nous attendions que le soleil décline pour que

Myrdhinn nous conte l'origine des étoiles, dont Sen citait les noms. Il en est une qui me fascinait tout spécialement.

Midna, Branogéne et Abcan restèrent à Magmell. Moi je retournai à Gallicobriga et épousai Éponine, la douce créature qui vit toujours à mon côté.

À Lugdunum, je connus un lettré romain avec lequel je m'associai pour commercer. Je m'en séparai à Massalia pour aller en Grèce et, plus tard, en Orient.

Aujourd'hui encore, là où me mène le voyage, quand la fatigue et la nostalgie me gagnent, je songe à ces heures bénies que nous passions dans les herbes de la côte couchées par le vent.

Et quand le visage libre de mon enfance se lève vers la grande nuit silencieuse, l'étoile que Sen nommait «la Perle d'Alpheka» offre toujours à mes lèvres la douceur d'un sourire apaisant.

☀ Fin ☀

Les troupes romaines, forte- ment armées, bien équipées et disciplinées, s'apprêtent à prendre un village gaulois. Jules César entame la conquête de la Gaule en 58 avant J.-C. Trois ans plus tard, ses légions occupent l'ensemble des territoires compris entre le Rhin et les Pyrénées, ainsi que les îles Britanniques. Mais les peuples conquis se rebellent et Jules César doit reprendre la guerre, qui s'avère cette fois plus vio- lente et plus acharnée. Elle se termine par la reddition du chef arverne Vercingéto- rix à Alésia en l'an 52. La résistance à l'occupant dure encore près de cent ans avant que s'éta- blisse vraiment une civilisation «gallo-romaine». La Gaule sera alors partagée en trois provinces romaines, avec pour métropole Lugdunum (Lyon), «citadelle du dieu Lug».

L'esclave est la propriété de son maître, au même titre qu'une maison ou un ani- mal. Il est acheté sur le mar- ché aux esclaves. Les guerres de conquête fournissent de grandes quantités d'esclaves – hommes, femmes et enfants – tandis qu'en temps de paix l'offre est beaucoup plus rare, ce qui fait mon- ter les prix. Le maître a droit de vie ou de mort sur ses esclaves. Ceux-ci ne peuvent se marier sans son consentement, et leurs enfants naissent esclaves. Le vol ou la désobéissance sont sévère- ment punis, par le fouet, le cachot, la torture. Un esclave fugitif, lorsqu'il est repris, risque la peine de mort. L'esclavage existe chez tous les peuples de l'Antiquité, y compris chez les Gaulois, mais à Rome, le nombre d'esclaves atteint des quantités gigantesques. De gros propriétaires en emploient des centaines sur leurs vastes domaines, pour cultiver les champs, élever les bêtes, exploiter les mines et les carrières… À la longue, un esclave peut aussi racheter sa liberté, et certains maîtres, au jour de leur mort, affranchissent ceux qu'ils considèrent comme les plus méritants.

Les Romains appellent «gaulois» les peuples qui vivent au nord-ouest de l'Ita- lie, et les considèrent comme des barbares incultes. Ils distinguent cependant la Gaule cisalpine – le nord de l'Italie – et la Gaule transalpine – notre Provence actuelle, qui sont romanisées plus tôt. Au-delà, c'est la Gaule «che- velue» (parce que les Gaulois portent les cheveux longs, à la différence des Romains) ou la Gaule «en braies» (parce que les Gaulois portent une sorte de pantalons nommés braies). Jules César, qui les combat, est le seul à essayer de com- prendre leurs façons de vivre, leurs croyances, leurs savoirs. Son livre, *La Guerre des Gaules*, est une mine de renseignements.

Les cours d'eau marquent la frontière entre les peuples gaulois. Mais la Seine, le Rhône, la Garonne, la Tamise, le Rhin, le Danube… tous les grands fleuves européens ainsi que les rivières moins importantes servent à la navigation fluviale. Marchandises et personnes voyagent plus facilement sur ces «routes» naturelles qui serviront aussi à la progression des légions romaines. Les bateaux ne sont souvent pas plus grands qu'une barque. Ils se nomment «ponto», «vegeiia» ou «celsa» selon la forme de leur coque. Certains sont de simples pirogues, creusées dans un tronc d'arbre («linter»). Le tonneau, qui est une invention gauloise, sert à transporter toutes les marchandises en vrac, comme notre moderne conteneur.

Les sources ont aux yeux des Gaulois une grande importance, car ils savent que, sans eau, il n'y a pas de vie. Dans les régions calcaires, où l'eau est plus rare et disparaît parfois dans les profondeurs du sous-sol, ils appellent «douix» une résurgence où l'eau abonde subitement. Hommes et femmes situent ici la résidence de divinités bienfaisantes. Leurs noms nous parviendront quelquefois sous des formes modernes: Nemausos à Nîmes, Divona à Bordeaux, Lixo à Luchon ou Sequana, la Seine. Les Gaulois remarquent aussi que l'eau peut soulager certaines douleurs. Guéris, les malades déposent des milliers d'ex-voto que les archéologues ont parfois retrouvés. Les sources thermales sont reconnues depuis très longtemps et deviendront, grâce aux Romains, de véritables «villes d'eau» comme Dax, Aix-les-Bains, Baden-Baden…

La forêt gauloise est immense et remonte à la préhistoire: elle couvre les trois quarts de l'Europe. C'est le domaine des grands arbres – chênes, hêtres, ormes… – qui vivent parfois plusieurs siècles et meurent doucement en se couvrant de mousse. À l'ombre de la haute futaie, comme dans les prairies herbeuses ou les marécages, vivent de très nombreux animaux sauvages. Les villages ne sont pas rares cependant. Ils sont reliés par des routes et des chemins bien tracés, entourés de zones cultivées. L'«oppidum» est une cité fortifiée, de plus grande importance, jouant souvent le rôle de centre religieux et de chef-lieu. Habituellement situé au sommet d'un tertre ou d'une colline, il sert de refuge et de place forte en cas de guerre.

Les habitants du village sont toujours intrigués par le forgeron, ce personnage hors du commun qui sait manier le feu. L'homme a construit son atelier en solides rondins, à l'extérieur du village afin d'éviter les risques d'incendie. Il emploie de grandes quantités de bois pour atteindre des températures de plusieurs centaines de degrés qui fondent ou rendent malléables les métaux. Le foyer de la forge est placé à même le sol. Le feu est attisé par un soufflet, formé d'une peau de chèvre et d'un tuyau de terre cuite. L'enclume est une grosse masse de fonte fixée sur un morceau de tronc d'arbre. À l'écart, une pierre sculptée représente Janus, le dieu aux deux visages: l'un regarde le passé, l'autre est tourné vers l'avenir. L'un est sombre, l'autre est souriant. La mort et la vie.

Voici le centre de l'oppidum. Les solides remparts sont formés de poutres entrecroisées, autour desquelles viennent s'encastrer des pierres et de la terre. Cette technique du «mur gaulois» est très répandue et fait l'admiration des Romains. La porte fortifiée vue ici est inspirée de découvertes archéologiques faites à Manching (Allemagne). Les maisons, qui disposent d'une cave, sont bâties en pierre ou en terre battue. Les unes sont de forme ronde, d'autres de plan carré ou rectangulaire. Elles sont toutes couvertes de chaume et n'ont pas de cheminée: la fumée des foyers s'échappe par les ouvertures pratiquées au sommet de la toiture. À gauche, on remarque un abri à grains, isolé du sol par des poutres et des pierres plates: c'est pour empêcher les rats et autres rongeurs d'y pénétrer.

Les Gaulois aiment la poésie et la littérature. Ils écoutent volontiers le barde qui s'accompagne de son instrument favori, une petite harpe aux sons légers et mélodieux. Que nous conte-t-il? L'histoire des divinités, souvent. Les aventures de héros qui livrent des batailles, qui s'emparent de villes et de forteresses, qui participent à des festins. Mais ces héros sont aussi des hommes et des femmes qui aiment, qui réfléchissent, qui sont tristes ou joyeux. Parfois, ils voyagent même dans l'autre monde, celui des morts, qui se mêle intimement à celui des vivants. Les bardes récitent souvent les mêmes histoires. On les juge sur leur capacité d'inventer des épisodes nouveaux, humoristiques ou dramatiques, et de jouer avec les mots ou les rimes. Cependant, comme la langue gauloise ne s'écrit pas mais se parle uniquement, nous ne connaissons ces récits que par la tradition qui a survécu jusqu'à nos jours au travers de grandes légendes comme celles du roi Arthur ou de Tristan et Yseut.

Chaque saison – hiver, printemps, été, automne – est marquée par une fête, mais Lugnasad est la plus grande de l'année. Au cœur de l'été, au moment où les foins sont rentrés, où les moissons sont faites, les grains mis à l'abri et les plus gros travaux des champs terminés, on célèbre Lug, dieu de la lumière et dieu des batailles. Pour se désaltérer, les participants boivent surtout de la cervoise, boisson typique des Gaulois, qui ressemble à la bière. Le vin est plus rare. On le fait venir de Grèce ou d'Italie. La charcuterie gauloise est très variée et très réputée : jambons, lard, saindoux, tripes, boudins, saucisses, rillettes… Lors de cette fête, les hommes s'adonnent à différents jeux, dont la lutte est le plus apprécié. Les adversaires se mettent en braies, torse nu. Parfois même, ils ôtent tous leurs vêtements, comme le font certains guerriers sur le champ de bataille. Cela effraie d'ailleurs plus d'un soldat romain.

Les dieux et les croyances des Gaulois ne nous sont connus que par les récits des Romains, qui les ont faits avec leurs mots et leurs façons de penser. Il existe un grand nombre de divinités gauloises au sommet desquelles se trouvent Esus – le Maître –, Taranis – dieu du tonnerre – et Teutatès – dieu du village. Mais d'autres sont tout aussi importantes, comme ce fameux dieu-cerf que les Parisii nomment Cernunnos, ou le dieu au maillet, Sucellus, qui symbolise les Enfers. Les Romains affirment que les Gaulois se livrent à des sacrifices humains. Les vestiges archéologiques montrent que cela était peut-être vrai pour certains peuples du Sud. Mais ces pratiques sanglantes remontent à de lointaines origines. Elles sont devenues, chez la plupart des Gaulois, de simples offrandes de nourriture ou sacrifices d'animaux, comme cela se pratique aussi chez les Grecs et les Romains avant le christianisme.

Qui est le maître chez les peuples gaulois ? Qui prend les décisions ? Il n'y a pas de règle unique. Dans les îles Britanniques, les rois ont un grand prestige. Sur le continent, des familles nobles et influentes ont évincé leurs rois et se livrent une guerre sourde qui aboutira à l'intervention romaine. L'assemblée des hommes libres prend certaines décisions importantes, notamment celle de l'entrée en guerre. Elle désigne un chef militaire et une sorte de magistrat nommé «vergobret» (l'homme-juge, l'homme qui agit). Cependant, le druide est l'homme qui, chez les Gaulois, a la plus grande influence. Ce n'est pas un simple prêtre, mais un homme de savoir, un sage. Il rend la justice. Il ne porte pas d'armes et sa personne est sacrée : il peut se déplacer, même au milieu de peuples en guerre, sans craindre d'être attaqué. Il a aussi des connaissances en médecine et pratique parfois la magie. On le représente souvent en train de cueillir le gui, plante qui, aux yeux des Gaulois, possède des vertus exceptionnelles.

La plupart des Gaulois vont à pied: le cheval est un animal rare et coûteux, réservé aux gens importants. Les chefs disposent parfois d'un char. Celui-ci est fait d'osier tressé sur une armature de bois. Les roues, renforcées de rayons, sont caractéristiques de l'artisanat gaulois. Le bois est revêtu d'ornements en bronze, de même que le harnachement des chevaux. Nous connaissons bien ces objets grâce aux découvertes et aux études conduites par les archéologues dans des tombes princières, notamment dans l'est de la France, en Suisse, en Autriche et dans le sud de l'Allemagne.

Les Gaulois qui demeurent au bord de la mer connaissent bien la navigation. La coque de leurs navires est souvent faite de planches de bois assemblées. Dans certaines régions, comme en Irlande, on fabrique aussi des embarcations de peaux tendues sur des armatures de bois (curraghs ou «coracles»). Le mât est fait d'une seule pièce, dont le sommet évidé permet d'y glisser les drisses. La voile est tissée ou en cuir tanné. Avec ces navires, qui nous paraissent fragiles et minuscules, les marins gaulois sont capables d'affronter des mers difficiles, de pêcher, de voyager, de faire du commerce dans des zones dangereuses comme la mer d'Irlande, la Manche, la mer d'Iroise.

Depuis un siècle et demi, l'archéologie est venue peu à peu compléter notre information et montre que les Gaulois appartenaient à une famille plus grande encore que l'on appelle les Celtes. L'héritage celtique est encore sensible de nos jours en Écosse, en Irlande, au Pays de Galles et en Bretagne, là où l'influence romaine a été beaucoup moins forte, voire nulle. La langue, la musique, les coutumes et certains ornements en sont les traces vivantes. Comme les Celtes n'ont pas laissé d'écrits, leur culture, sans doute très avancée, reste en grande partie un mystère. Des signes ou symboles sont toujours visibles dans les «tumuli» (tombes), sur des stèles et des pierres dressées que nous appelons dolmens, menhirs ou cromlechs. Celles-ci cependant remontent à un passé beaucoup plus lointain, à une civilisation que nous connaissons mal et que nous appelons «mégalithique» (ou «civilisation des grosses pierres»).

# Index

* espèce de druide, voir: Guyonvarch, Christian et Le Roux, Françoise « Les druides et le druidisme » Ouest France 1995 Rennes